Pooped Puppies

© Maxim Misaylov aka Kukurund/Depositphotos

2024 CALENDAR

Published by Sellers Publishing, Inc.,
161 John Roberts Road, South Portland, Maine 04106

Astronomical information is in Eastern Time and Daylight Saving Time. Key fo abbreviations: United States (US), Canada (CAN), United Kingdom (UK), Australia (AUS), South Australia (SA), Western Australia (W. Australia), New South Wales (NSW), Australian Capital Territory (ACT), New Zealand (NZ).

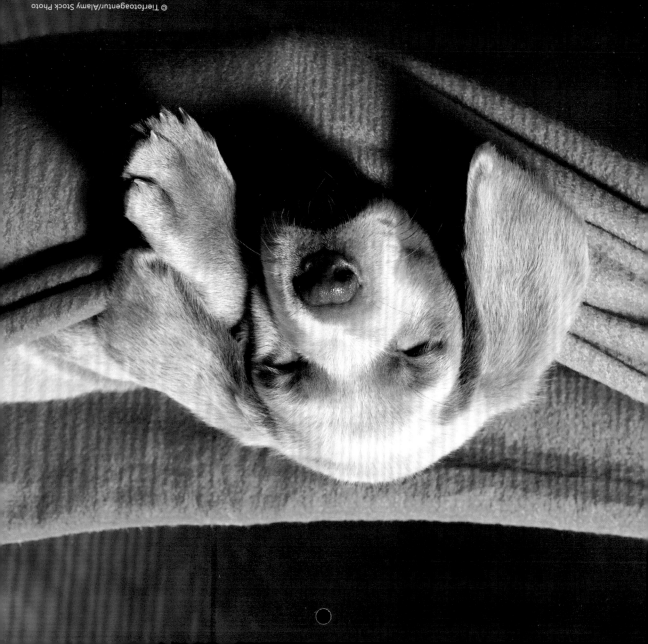

January

SUNDAY	MONDAY	TUESDAY	WEDNESDAY	THURSDAY	FRIDAY	SATURDAY
	New Year's Day					
31	1	2	3	4	5	6
				● NEW MOON		
7	8	9	10	11	12	13
	Martin Luther King Jr.'s Birthday					
14	15	16	17	18	19	20
				○ FULL MOON	Australia Day	
21	22	23	24	25	26	27
28	29	30	31 ●			

DECEMBER 2023

S	M	T	W	T	F	S
					1	2
3	4	5	6	7	8	9
10	11	12	13	14	15	16
17	18	19	20	21	22	23
24	25	26	27	28	29	30
31						

FEBRUARY

S	M	T	W	T	F	S
				1	2	3
4	5	6	7	8	9	10
11	12	13	14	15	16	17
18	19	20	21	22	23	24
25	26	27	28	29		

February

SUNDAY	MONDAY	TUESDAY	WEDNESDAY	THURSDAY	FRIDAY	SATURDAY
					Groundhog Day	
28	29	30	31	1	2	3
		Waitangi Day (New Zealand)			● NEW MOON	Chinese New Year
4	5	6	7	8	9	10
	Lincoln's Birthday		Valentine's Day Ash Wednesday			
11	12	13	14	15	16	17
	Presidents' Day			Washington's Birthday		○ FULL MOON
18	19	20	21	22	23	24
25	26	27	28 ●	29		

JANUARY
S M T W T F S
1 2 3 4 5 6
7 8 9 10 11 12 13
14 15 16 17 18 19 20
21 22 23 24 25 26 27
28 29 30 31

MARCH
S M T W T F S
1 2
3 4 5 6 7 8 9
10 11 12 13 14 15 16
17 18 19 20 21 22 23
24 25 26 27 28 29 30
31

March

SUNDAY	MONDAY	TUESDAY	WEDNESDAY	THURSDAY	FRIDAY	SATURDAY
FEBRUARY S M T W T F S 1 2 3 4 5 6 7 8 9 10 11 12 13 14 15 16 17 18 19 20 21 22 23 24 25 26 27 28 29	**APRIL** S M T W T F S 1 2 3 4 5 6 7 8 9 10 11 12 13 14 15 16 17 18 19 20 21 22 23 24 25 26 27 28 29 30	27	28	29	1	2
3	Labour Day (W. Australia) 4	5	6	7	International Women's Day 8	9
Daylight Saving begins Mother's Day (UK) ● NEW MOON 10	Commonwealth Day (CAN, UK, Australia) Canberra Day (ACT) Labour Day (Victoria) 11	12	13	14	15	16
St. Patrick's Day 17	18	Vernal Equinox 19	20	21	22	23
Palm Sunday (24th) Easter Sunday (31st) 24/31	○ FULL MOON 25	26	27 ●	28	Good Friday 29	30

April

SUNDAY	MONDAY	TUESDAY	WEDNESDAY	THURSDAY	FRIDAY	SATURDAY
31	**Easter Monday (CAN, UK, AUS, NZ)** 1 ● NEW MOON	2	3	4	5	6
7	8	9	10	11	12	13
14	15	16	17	18	19	20
21	**Passover begins at sundown** **Earth Day** 22	○ FULL MOON 23	24	**ANZAC Day (Australia, NZ)** 25	**Arbor Day** 26	27
28	29	30	1 ●	2		

MARCH
S	M	T	W	T	F	S
					1	2
3	4	5	6	7	8	9
10	11	12	13	14	15	16
17	18	19	20	21	22	23
24	25	26	27	28	29	30
31						

MAY
S	M	T	W	T	F	S
			1	2	3	4
5	6	7	8	9	10	11
12	13	14	15	16	17	18
19	20	21	22	23	24	25
26	27	28	29	30	31	

May

SUNDAY	MONDAY	TUESDAY	WEDNESDAY	THURSDAY	FRIDAY	SATURDAY
APRIL S M T W T F S 1 2 3 4 5 6 7 8 9 10 11 12 13 14 15 16 17 18 19 20 21 22 23 24 25 26 27 28 29 30	JUNE S M T W T F S 1 2 3 4 5 6 7 8 9 10 11 12 13 14 15 16 17 18 19 20 21 22 23 24 25 26 27 28 29 30	30	May Day 1	2	3	4
Holocaust Remembrance Day begins at sundown 5	Bank Holiday (UK) Labour Day (Queensland) 6	● NEW MOON 7	8	9	10	11
Mother's Day (US, CAN, AUS, NZ) 12	13	14	15	16	17	Armed Forces Day 18
19	Victoria Day (Canada) 20	21	22	○ FULL MOON 23	24	25
26	Memorial Day Bank Holiday (UK) 27	28	29 ●	30	31	1

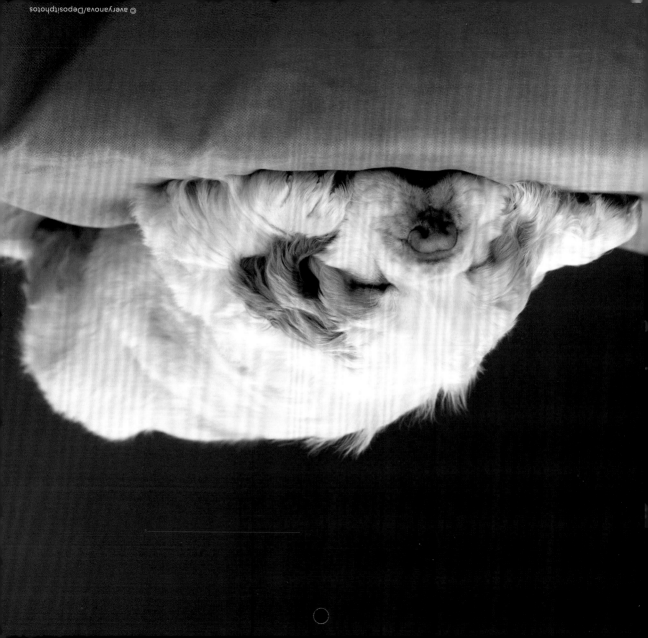

June

SUNDAY	MONDAY	TUESDAY	WEDNESDAY	THURSDAY	FRIDAY	SATURDAY
MAY S M T W T F S 1 2 3 4 5 6 7 8 9 10 11 12 13 14 15 16 17 18 19 20 21 22 23 24 25 26 27 28 29 30 31	**JULY** S M T W T F S 1 2 3 4 5 6 7 8 9 10 11 12 13 14 15 16 17 18 19 20 21 22 23 24 25 26 27 28 29 30 31	28	29	30	31	1
2	King's Birthday (New Zealand) 3	4	5	● NEW MOON 6	7	8
9	King's Birthday (Australia) 10	11	12	13	Flag Day 14	15
Father's Day (US, Canada, UK) 16	17	18	Juneteenth 19	Summer Solstice 20	○ FULL MOON 21	22
23/30	24	25	26 ●	27	28	29

July

SUNDAY	MONDAY	TUESDAY	WEDNESDAY	THURSDAY	FRIDAY	SATURDAY
30	1 Canada Day	2	3	4 Independence Day	5 ● NEW MOON	6
7	8	9	10	11	12	13
14 ○ FULL MOON	15	16	17	18	19	20
21	22	23	24	25	26	27
28	29	30	31 ●	1		

JUNE
S	M	T	W	T	F	S
						1
2	3	4	5	6	7	8
9	10	11	12	13	14	15
16	17	18	19	20	21	22
23	24	25	26	27	28	29
30						

AUGUST
S	M	T	W	T	F	S
				1	2	3
4	5	6	7	8	9	10
11	12	13	14	15	16	17
18	19	20	21	22	23	24
25	26	27	28	29	30	31

August

SUNDAY	MONDAY	TUESDAY	WEDNESDAY	THURSDAY	FRIDAY	SATURDAY

JULY

S	M	T	W	T	F	S
	1	2	3	4	5	6
7	8	9	10	11	12	13
14	15	16	17	18	19	20
21	22	23	24	25	26	27
28	29	30	31			

SEPTEMBER

S	M	T	W	T	F	S
1	2	3	4	5	6	7
8	9	10	11	12	13	14
15	16	17	18	19	20	21
22	23	24	25	26	27	28
29	30					

SUNDAY	MONDAY	TUESDAY	WEDNESDAY	THURSDAY	FRIDAY	SATURDAY
		30	31	1	2	3
● NEW MOON 4	Civic Holiday (Canada) Bank Holiday (NSW) 5	6	7	8	9	10
11	12	13	14	15	16	17
18	○ FULL MOON 19	20	21	22	23	24
25	Bank Holiday (UK) 26	27	28 ●	29	30	31

September

SUNDAY	MONDAY	TUESDAY	WEDNESDAY	THURSDAY	FRIDAY	SATURDAY
Father's Day (Australia, NZ) 1	Labor Day (US, Canada) ● NEW MOON 2	3	4	5	6	7
8	9	10	Patriot Day 11	12	13	14
15	16	○ FULL MOON 17	18	19	20	UN International Day of Peace 21
Autumnal Equinox 22	King's Birthday (W. Australia) 23	24	25	26	27	28
29	30	1	2 ●	3		

AUGUST

S	M	T	W	T	F	S
					1	2	3
4	5	6	7	8	9	10
11	12	13	14	15	16	17
18	19	20	21	22	23	24
25	26	27	28	29	30	31

OCTOBER

S	M	T	W	T	F	S
		1	2	3	4	5
6	7	8	9	10	11	12
13	14	15	16	17	18	19
20	21	22	23	24	25	26
27	28	29	30	31		

October

SUNDAY	MONDAY	TUESDAY	WEDNESDAY	THURSDAY	FRIDAY	SATURDAY
29	30	1	Rosh Hashanah begins at sundown ● NEW MOON 2	3	4	5
6	King's Birthday (Queensland) Labour Day (ACT, NSW, SA) 7	8	9	10	Yom Kippur begins at sundown 11	12
13	Columbus Day (observed) Indigenous Peoples' Day (observed) Thanksgiving (Canada) 14	15	16	○ FULL MOON 17	18	19
20	21	22	23	24	25	26
27	Labour Day (New Zealand) 28	29	30 ●	Halloween 31		

SEPTEMBER

S	M	T	W	T	F	S
1	2	3	4	5	6	7
8	9	10	11	12	13	14
15	16	17	18	19	20	21
22	23	24	25	26	27	28
29	30					

NOVEMBER

S	M	T	W	T	F	S
					1	2
3	4	5	6	7	8	9
10	11	12	13	14	15	16
17	18	19	20	21	22	23
24	25	26	27	28	29	30

November

SUNDAY	MONDAY	TUESDAY	WEDNESDAY	THURSDAY	FRIDAY	SATURDAY

OCTOBER

S	M	T	W	T	F	S
		1	2	3	4	5
6	7	8	9	10	11	12
13	14	15	16	17	18	19
20	21	22	23	24	25	26
27	28	29	30	31		

DECEMBER

S	M	T	W	T	F	S
1	2	3	4	5	6	7
8	9	10	11	12	13	14
15	16	17	18	19	20	21
22	23	24	25	26	27	28
29	30	31				

TUESDAY 29

WEDNESDAY 30

THURSDAY 31

FRIDAY — All Saints' Day / ● NEW MOON — 1

SATURDAY 2

SUNDAY — Daylight Saving ends — 3

MONDAY 4

TUESDAY — Election Day — 5

WEDNESDAY 6

THURSDAY 7

FRIDAY 8

SATURDAY 9

SUNDAY — Remembrance Sunday (UK) — 10

MONDAY — Veterans Day / Remembrance Day (CAN, AUS, NZ) — 11

TUESDAY 12

WEDNESDAY 13

THURSDAY 14

FRIDAY — ○ FULL MOON — 15

SATURDAY 16

17

18

19

20

21

22

23

WEDNESDAY — Thanksgiving — 28

24

25

26

27 ●

28

29

30